고릴라

앤터니 브라운

1946년 영국 셰필드에서 태어났다. 1963년에 '리즈 칼리지 오브 아트'에 입학해서 미술을 공부했다.
1983년에 『고릴라』로, 1992년엔 『동물원』으로 케이트 그리너웨이 상을 받았다. 케이트 그리너웨이 상은
영국에서 한 해 동안 가장 훌륭한 그림책을 그린 일러스트레이터가 받는 상이다.
그는 자신만의 독특한 화풍으로 진지한 주제를 유머러스하고 재미있게 표현한다는 평을 얻고 있다.

장은수

서울대학교 국문학과를 졸업했다. 지금은 문학 평론을 하고 있다.
옮긴 책으로는 『어머니의 감자 밭』, 『기억 전달자』가 있다.

비룡소의 그림동화 50

고릴라

앤터니 브라운 글·그림 / 장은수 옮김

1판 1쇄 펴냄—1998년 10월 29일, 1판 48쇄 펴냄—2009년 5월 15일
펴낸이 박상희 펴낸곳 (주)비룡소 출판등록 1994. 3. 17.(제16-849호)
주소 135-887 서울시 강남구 신사동 506 강남출판문화센터 4층
전화 영업(통신판매) 515-2000(내선1) 팩스 515-2007 편집 3443-4318~9
홈페이지 www.bir.co.kr

GORILLA
by Anthony Browne
Copyright ⓒ 1983 Anthony Browne
All rights reserved.
Korean translation copyright ⓒ 1998 by BIR
Korean translation edition is published by arrangement with
Walker Books through KCC.
이 책의 한국어판 저작권은 한국 저작권 센터를 통해
Walker Books와 독점 계약한 (주)비룡소에 있습니다.
저작권법에 의해 한국 내에서 보호를 받는 저작물이므로
무단 전재와 무단 복제를 금합니다.

ISBN 978-89-491-1048-6 77840
ISBN 978-89-491-1000-4 (세트)

고릴라

앤터니 브라운 글·그림 / 장은수 옮김

 비룡소

한나는 고릴라를 무척 좋아했어. 고릴라 책도 읽고, 고릴라 비디오도 보고,
고릴라 그림도 그렸지. 하지만 진짜 고릴라를 본 적은 없었어.
아빠는 한나랑 동물원에 가서 고릴라를 볼 시간이 없어. 너무 바빠서
시간이 나질 않거든.

아빠는 한나가 학교에 가기도 전에 출근했어. 퇴근해서도 일만 했지.
한나가 말을 걸려고 하면, 아빠는 "나중에, 지금 아빠는 바빠. 내일 얘기하자."
하고 말했어.

하지만 그 다음 날에도 아빠는 너무 바빴어.
아빠는 "지금은 안 돼. 토요일 날 어때?" 하곤 했지.
하지만 주말이 되자 아빠는 너무 지쳤어.
아빠와 한나는 아무것도 함께할 수 없었어.

내일은 한나 생일이야. 한나는 설레는 마음으로 자러 갔어.
아빠한테 고릴라 한 마리 가지고 싶다고 했거든!
한밤중에 한나는 잠에서 깼어. 침대 발치에는 작은 선물 꾸러미
하나가 있었지. 그 속에는 고릴라가 들어 있었어.
하지만 그냥 고릴라 인형이었지.

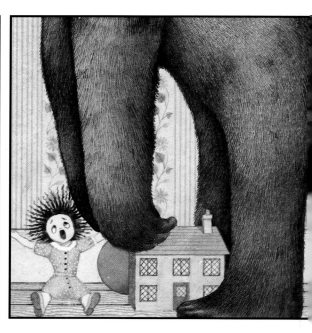

한나는 고릴라 인형을 방 한구석에 치워 두었어. 그러고는 다시 잠이 들었지.
그런데 그 날 밤에 굉장한 일이 일어났어.

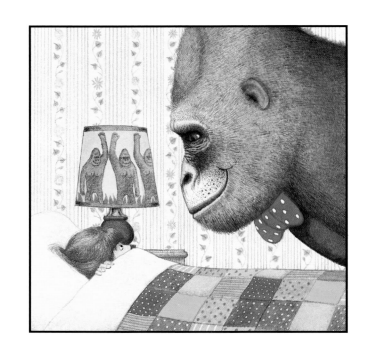

한나는 깜짝 놀랐어. 그러자 고릴라가 말했어.
"한나야, 놀라지 마. 널 해치러 온 게 아니야. 동물원에 가고 싶지 않니?"
고릴라가 따뜻하게 웃었기 때문에 무섭지는 않았어.
"나, 정말 동물원에 가고 싶어."
한나와 고릴라는 살금살금 아래층으로 내려갔어. 한나는 자기 코트를
찾아 입었고, 고릴라는 아빠 코트를 입었지.
"꼭 맞는데?"
고릴라가 속삭였어.

둘은 현관 문을 열고 밖으로 나왔어.
"그럼 가자."
고릴라는 한나를 살짝 들어올려 허리에 꼈어.
그리고 나무를 타면서 동물원으로 갔지.

둘은 동물원에 다다랐어.

하지만 아직 문을 안 열었어. 게다가 담도 너무 높았지.

고릴라가 말했어.

"걱정 마. 담 넘어서 들어가면 돼!"

둘은 곧장 고릴라 우리 쪽으로 갔어.

한나는 가슴이 벅찼어. 여긴 고릴라 천지야!

한나와 고릴라는 오랑우탄 우리에도 가고, 침팬지 우리에도 갔어.
너무 멋졌지. 하지만 슬퍼 보이기도 했어.

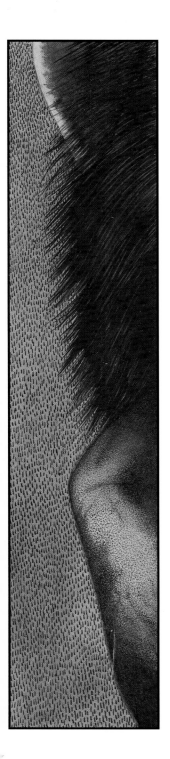

고릴라가 "이제 뭘 할까?" 하고 물었어.
"영화 보고 싶어." 하고 한나가 말했지.
그래서 둘은 극장에 갔어.

둘은 손잡고 거리를 걸었어.
한나가 말했어.
"진짜 재밌었어. 근데 나, 이제 배고파."
"좋아, 그럼 뭐 먹자."

"집에 갈래?"
고릴라가 물었어.
한나는 고개를 꾸벅했어.
둘은 잔디밭에서 춤을 추었어. 한나는 너무너무 행복했지.

고릴라가 말했어.
"한나야, 이제 돌아가야지? 내일 또 보자."
한나가 물었어.
"정말이야?"
고릴라는 고개를 끄덕이며 웃었지.
아침이 됐어. 한나가 눈을 떠 보니 고릴라 인형이 있었지.
한나는 살포시 미소를 지었어.

한나는 아래층으로 후닥닥 뛰어 내려갔어. 아빠한테 어젯밤 일을
얘기하려고 말이야.
아빠가 말했어. "생일 축하한다, 우리 귀염둥이. 동물원에 가고 싶었지?"
한나는 아빠 얼굴을 바라보았어.

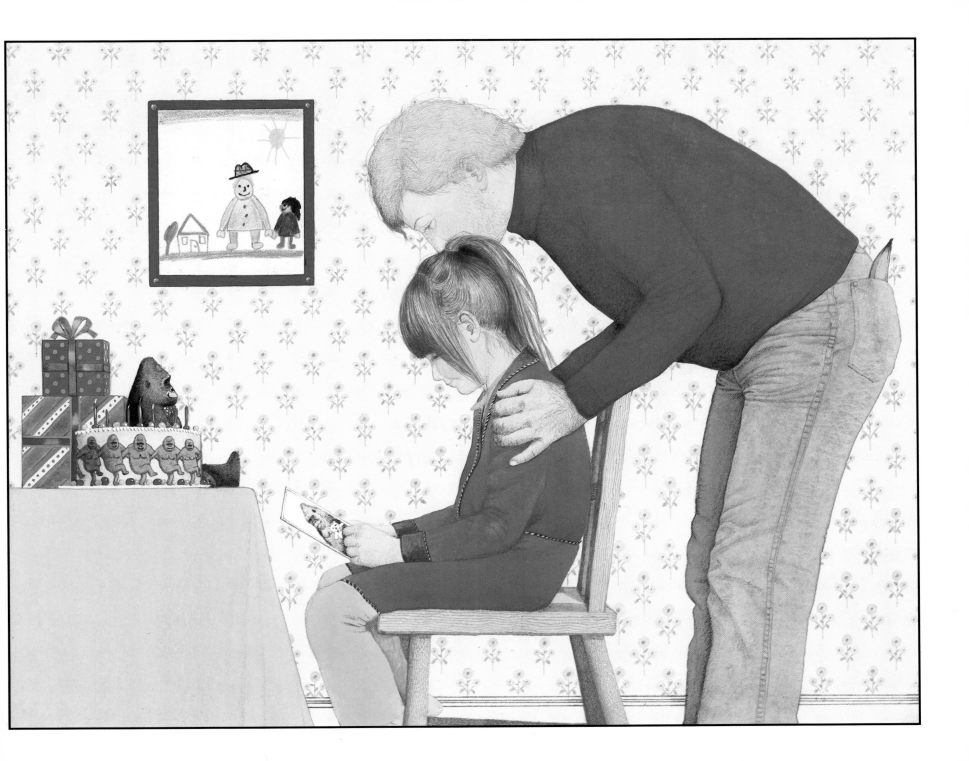

한나는 무척 행복했어.

비룡소의 그림동화

1 곰 레이먼드 브릭스 글·그림 / 박상희 옮김
2 산타 할아버지 레이먼드 브릭스 글·그림 / 박상희 옮김
3 산타 할아버지의 휴가 레이먼드 브릭스 글·그림 / 김정하 옮김
4 우리 할아버지 존 버닝햄 글·그림 / 박상희 옮김
5 야, 우리 기차에서 내려! 존 버닝햄 글·그림 / 박상희 옮김
6 지각대장 존 존 버닝햄 글·그림 / 박상희 옮김
7 깃털 없는 기러기 보르카 존 버닝햄 글·그림 / 엄혜숙 옮김
8 부루퉁한 스핑키 윌리엄 스타이그 글·그림 / 조은수 옮김
9 치과의사 드소토 선생님 윌리엄 스타이그 글·그림 / 조은수 옮김
10 멋진 뼈다귀 윌리엄 스타이그 글·그림 / 조은수 옮김
11 피터의 편지 에즈라 잭 키츠 글·그림 / 이진수 옮김
12 눈 오는 날 에즈라 잭 키츠 글·그림 / 김소희 옮김
13 달 사람 토미 웅거러 글·그림 / 김정하 옮김
14 산양을 따라갔어요 브라이언 와일드스미스 글·그림 / 김정하 옮김
15 넌 할 수 있어, 꼬마 기관차 와티 파이퍼 글 / 노은정 옮김
16 개에게 뼈다귀를 주세요 브라이언 와일드스미스 글·그림 / 박숙희 옮김
17 꼬마 곰 코듀로이 돈 프리먼 글·그림 / 조은수 옮김
18 마녀 위니 밸러리 토머스 글·코키 폴 그림 / 김중철 옮김
19 구두장이 마틴 레오 톨스토이 글·베르나데트 와츠 그림 / 김은하 옮김
20 백다섯 명의 오케스트라 칼라 쿠스킨 글·마크 사이먼트 그림 / 정성원 옮김
21 줄무늬가 생겼어요 데이빗 섀논 글·그림 / 조세현 옮김
22 저런, 벌거숭이네! 고미 타로 글·그림 / 이종화 옮김
23 악어도 깜짝, 치과 의사도 깜짝! 고미 타로 글·그림 / 이종화 옮김
24 그건 내 조끼야 나카에 요시오 글·우에노 노리코 그림 / 박상희 옮김
25 웬델과 주말을 보낸다고요? 케빈 헹크스 글·그림 / 이경혜 옮김
26 곰 아저씨에게 물어 보렴 마조리 플랙 글·그림 / 양희진 옮김
27 제랄다와 거인 토미 웅거러 글·그림 / 김경연 옮김
28 까마귀 소년 야시마 타로 글·그림 / 윤구병 옮김
29 내 친구 커트니 존 버닝햄 글·그림 / 고승희 옮김
30 아저씨 우산 사노 요코 글·그림 / 김난주 옮김
31 제이크의 생일 롭 루이스 글·그림 / 정해왕 옮김
32 헨리에타의 첫 겨울 롭 루이스 글·그림 / 정해왕 옮김
33 트레버가 벽장을 치웠어요 롭 루이스 글·그림 / 정해왕 옮김
34 에밀리 마이클 베다드 글·바바라 쿠니 그림 / 김명수 옮김
35 고래들의 노래 다이안 셸드 글·개리 블라이드 그림 / 고진하 옮김
36 내 사랑 뿌뿌 케빈 헹크스 글·그림 / 이경혜 옮김
37 오른발, 왼발 토미 드 파올라 글·그림 / 정해왕 옮김
38 꿈꾸는 곰 티모 게르다 바게너 글·얀 레나어 그림 / 김중철 옮김
39 코를 킁킁 루스 크라우스 글·마크 사이먼트 그림 / 고진하 옮김
40 난 곰인 채로 있고 싶은데… 요르크 슈타이너 글·요르크 뮐러 그림 / 고영아 옮김

41 어둠을 무서워하는 꼬마 박쥐 게르다 바게너 글·에밀리오 우르베루아가 그림 / 최문정 옮김
42 구름 나라 존 버닝햄 글·그림 / 고승희 옮김
43 여섯 사람 데이비드 매키 글·그림 / 김중철 옮김
44 잠이 안 오니, 작은 곰아? 마틴 워델 글·바바라 퍼스 그림 / 이지현 옮김
45 악어야, 악어야 페터 니클 글·비네테 슈뢰더 그림 / 허은미 옮김
46 달구지를 끌고 도날드 홀 글·바바라 쿠니 그림 / 주영아 옮김
47 마녀 위니의 겨울 밸러리 토머스 글·코키 폴 그림 / 김중철 옮김
48 꽃을 좋아하는 소 페르디난드 먼로 리프 글·로버트 로슨 그림 / 정상숙 옮김
49 종이 봉지 공주 로버트 문치 글·마이클 마첸코 그림 / 김태희 옮김
50 고릴라 앤터니 브라운 글·그림 / 장은수 옮김
51 아기 오리는 어디로 갔을까요? 낸시 태퍼리 글·그림 / 박상희 옮김
52 세상에서 가장 큰 아이 케빈 헹크스 글·낸시 태퍼리 그림 / 이경혜 옮김
53 유모차 나들이 미셸 게 글·그림 / 최윤정 옮김
54 우당탕탕, 할머니 귀가 커졌어요 엘리자베트 슈티메르트 글·카롤리네 케르 그림 / 유혜자 옮김
55 별 하나 나 하나 조셰트 쉬슈포르티슈 글·미셸 게 그림 / 최윤정 옮김
56 회색 늑대의 눈 조나단 런던 글·존 반 질 그림 / 김세희 옮김
57 샌지와 빵집 주인 로빈 자네스 글·코키 폴 그림 / 김중철 옮김
58 창문으로 넘어온 선물 고미 타로 글·그림 / 이종화 옮김
59 조각이불 앤 조나스 글·그림 / 나희덕 옮김
60 전쟁 아나이스 보즐라드 글·그림 / 최윤정 옮김
61 다음엔 너야 에른스트 얀들 글·노르만 융에 그림 / 박상순 옮김
62 아래로 아래로 아래로 에른스트 얀들 글·노르만 융에 그림 / 박상순 옮김
63 아빠는 미아 고미 타로 글·그림 / 이종화 옮김
64 슈렉! 윌리엄 스타이그 글·그림 / 조은수 옮김
65 프란시스는 잼만 좋아해 러셀 호번 글·릴리언 호번 그림 / 이경혜 옮김
66 아기 곰 비디 돈 프리먼 글·그림 / 이상희 옮김
67 대포알 심프 존 버닝햄 글·그림 / 이상희 옮김
68 우리 선생님이 최고야! 케빈 헹크스 글·그림 / 이경혜 옮김
69 내 친구 루이 에즈라 잭 키츠 글·그림 / 정성원 옮김
70 세상에서 가장 큰 여자 아이 안젤리카 앤 이삭스 글·폴 젤린스키 그림 / 서애경 옮김
71 꼬마 구름 파랑이 토미 웅거러 글·그림 / 이현정 옮김
72 끝없는 나무 클로드 퐁티 글·그림 / 윤정임 옮김
73 곰 인형 오토 토미 웅거러 글·그림 / 이현정 옮김
74 밤의 요정 톰텐 뤼드베리 원작·린드그렌 각색·비베리 그림 / 이상희 옮김
75 안나의 빨간 외투 해리엇 지퍼트 글·아니타 로벨 그림 / 엄혜숙 옮김
76 토끼들의 섬 요르크 슈타이너 글·요르크 뮐러 그림 / 김라합 옮김

77 아름다운 책 클로드 부종 글·그림 / 최윤정 옮김
78 비 오는 날 생긴 일 미라 긴스버그 글·호세 아루에고, 아리앤 듀이 그림 / 조은수 옮김
79 보름달 음악대 옌스 라스무스 글·그림 / 김은애 옮김
80 엉망진창 섬 윌리엄 스타이그 글·그림 / 조은수 옮김
81 주머니 없는 캥거루 케이티 에이미 페인 글·한스 아우구스토 레이 그림 / 조은수 옮김
82 옛날에 공룡들이 있었어 바이런 바튼 글·그림 / 최리을 옮김
83 100만 번 산 고양이 사노 요코 글·그림 / 김난주 옮김
84 이상한 화요일 데이비드 위즈너 글·그림
85 안녕, 해리! 마틴 워델 글·바바라 퍼스 그림 / 노은정 옮김
86 바로 나처럼 마리 홀 에츠 글·그림 / 이상희 옮김
87 내 이름은 프레즐 마가렛 레이 글·한스 아우구스토 레이 그림 / 김원숙 옮김
88 잘 자라, 아기 곰아 크빈트 부흐홀츠 글·그림 / 조원규 옮김
89 크리스마스까지 아홉 밤 마리 홀 에츠, 아우로라 라바스티다 글·마리 홀 에츠 그림 / 최리을 옮김
90 하얀 눈 환한 눈 앨빈 트레셀트 글·로저 뒤봐젱 그림 / 최리을 옮김
91 어머니의 감자 밭 아니타 로벨 글·그림 / 장은수 옮김
92 엄마 뽀뽀는 딱 한 번만! 토미 웅거러 글·그림 / 조은수 옮김
93 펠레의 새 옷 엘사 베스코브 글·그림 / 김상열 옮김
94 이상한 알 엘사 베스코브 글·그림 / 김상열 옮김
95 엄마의 생일 선물 엘사 베스코브 글·그림 / 김상열 옮김
96 기계들은 무슨 일을 하지? 바이런 바튼 글·그림 / 최리을 옮김
97 와! 공룡 뼈다 바이런 바튼 글·그림 / 최리을 옮김
98 잘 자라, 프란시스 러셀 호번 글·가스 윌리엄즈 그림 / 이경혜 옮김
99 고양이 소동 에즈라 잭 키츠 글·그림 / 신지선 옮김
100 위층 할머니, 아래층 할머니 토미 드 파올라 글·그림 / 이미영 옮김
101 강철 이빨 클로드 부종 글·그림 / 이경혜 옮김
102 아빠가 좋아 사노 요코 글·그림 / 김난주 옮김
103 노아의 방주 아서 가이서트 글·그림 / 이수명 옮김
104 마녀 위니, 다시 날다 밸러리 토머스 글·코키 폴 그림 / 김중철 옮김
105 얘들아, 모여 봐! 로트라우트 수잔네 베르너 글·그림 / 박찬일 옮김
106 한여름 밤 이야기 아이린 하스 글·그림 / 백영미 옮김
107 웨슬리 나라 폴 플레이쉬만 글·케빈 호크스 그림 / 백영미 옮김
108 셜리야, 물가에 가지 마! 존 버닝햄 글·그림 / 이상희 옮김
109 해리야, 잘 자 킴 루이스 글·그림 / 노은정 옮김
110 두 섬 이야기 요르크 슈타이너 글·요르크 뮐러 그림 / 김라합 옮김
111 송아지의 봄 고미 타로 글·그림 / 김난주 옮김
112 네가 만약… 존 버닝햄 글·그림 / 이상희 옮김
113 고양이 폭풍 안토니아 바버 글·니콜라 베일리 그림 / 김기택 옮김